BOOK SOLD
NO LONGER R.H.P.L.
PROPERTY

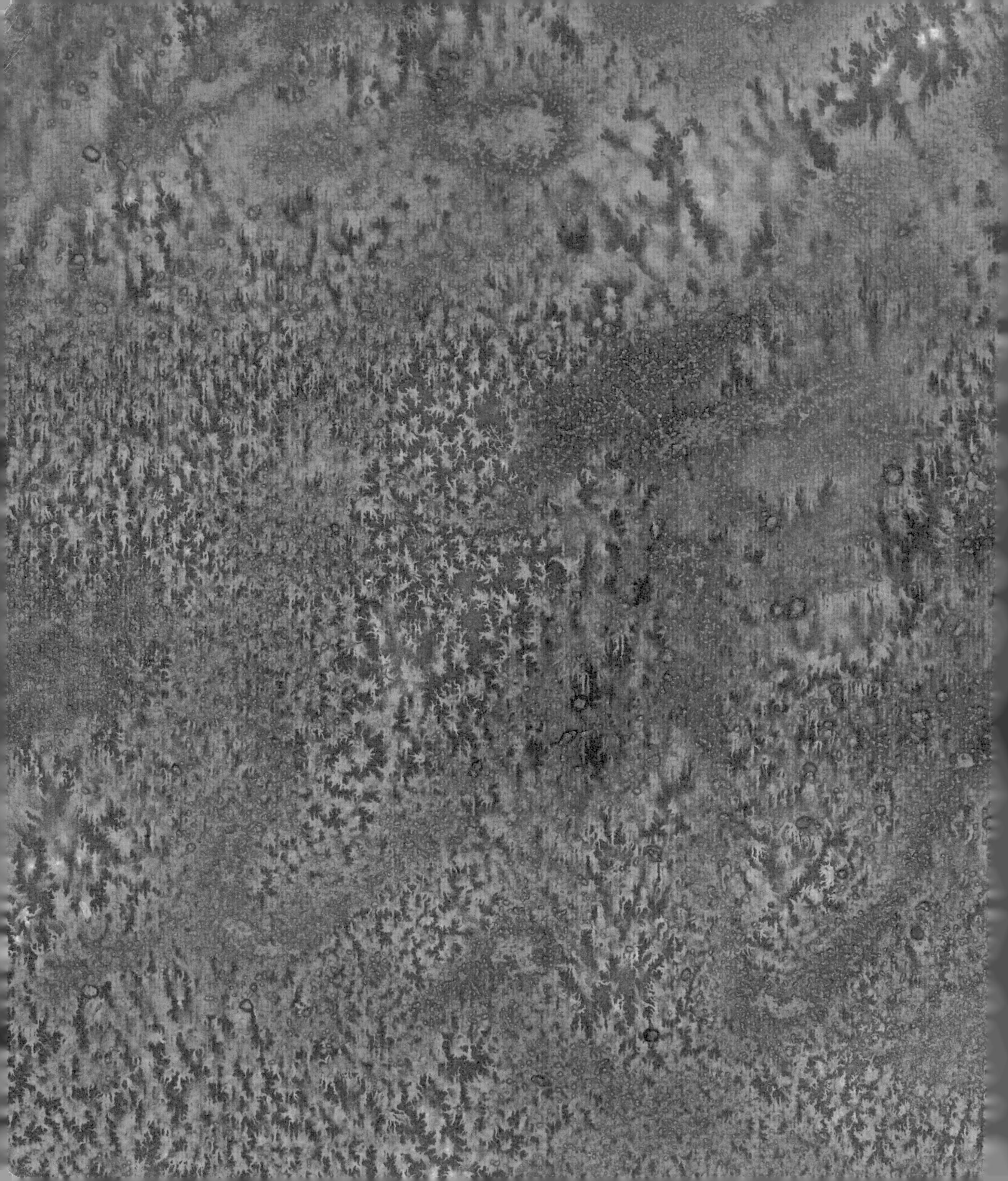

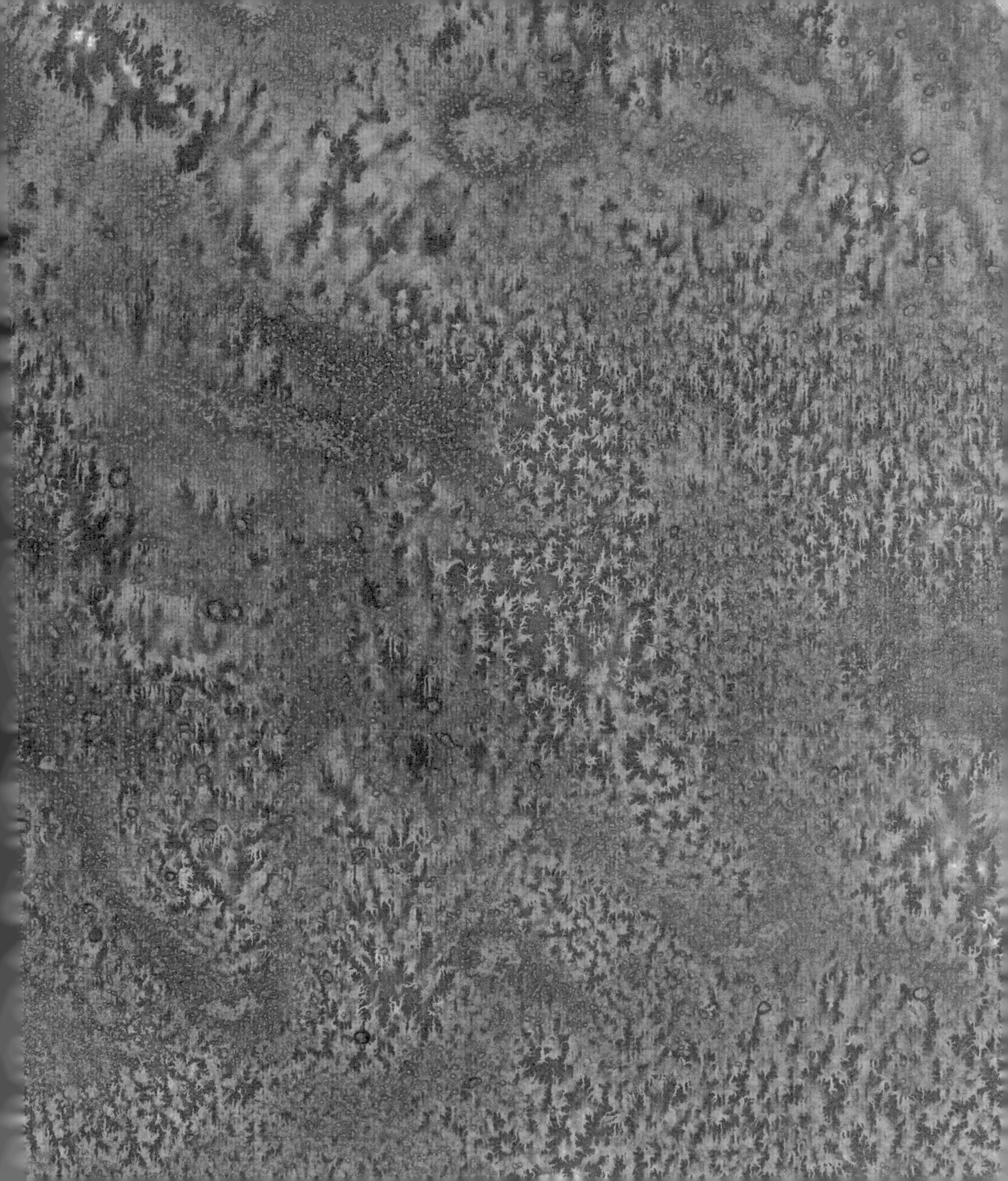

策划监制：敖德
特约编辑：吴雪　司南　森林

合同登记号　图字：06-2009年第223号

图书在版编目（CIP）数据

小飞龙的秘密 /（英）罗伯森编绘；范晓星译. —沈阳：万卷出版公司，2009. 8
（飞龙男孩）
ISBN 978-7-5470-0080-9

Ⅰ. 小…　Ⅱ. ①罗…②范…　Ⅲ. 图画故事—英国—现代
Ⅳ. I561.85

中国版本图书馆CIP数据核字（2009）第125324号

出版发行：万卷出版公司
（地址：沈阳市和平区十一纬路29号　邮编：110003）
印 刷 者：北京尚唐印刷包装有限公司
经 销 者：全国新华书店
幅面尺寸：210毫米×240毫米　1/16
字　　数：40千字
印　　张：8
出版时间：2009年8月第1版
印刷时间：2009年8月第1次印刷
责任编辑：冯顺利
ISBN 978-7-5470-0080-9
定　　价：55.00元（全4册）

联系电话：024—23284442
邮购热线：024—23284386
传　　真：024—23284448
E-mail：vpc@mail.lnpgc.com.cn
网　　址：http://www.chinavpc.com

策划：耕林文化（北京）有限公司（www.hx-wh.com）

飞龙男孩①

小飞龙的秘密

[英] M. P. 罗伯森/编绘
范晓星/译

北方联合出版传媒（集团）股份有限公司
万卷出版公司

在妈妈最喜欢的那只小母鸡肚子底下，乔治找到一个巨大的蛋。他料到，这个意外的发现一定不同寻常。

他把蛋搬回自己的房间，放在最暖和的地方。接下来的三天三夜，他就一直守着这个蛋，读故事给它听。

到了第三天晚上，蛋里有了动静：咕隆隆——

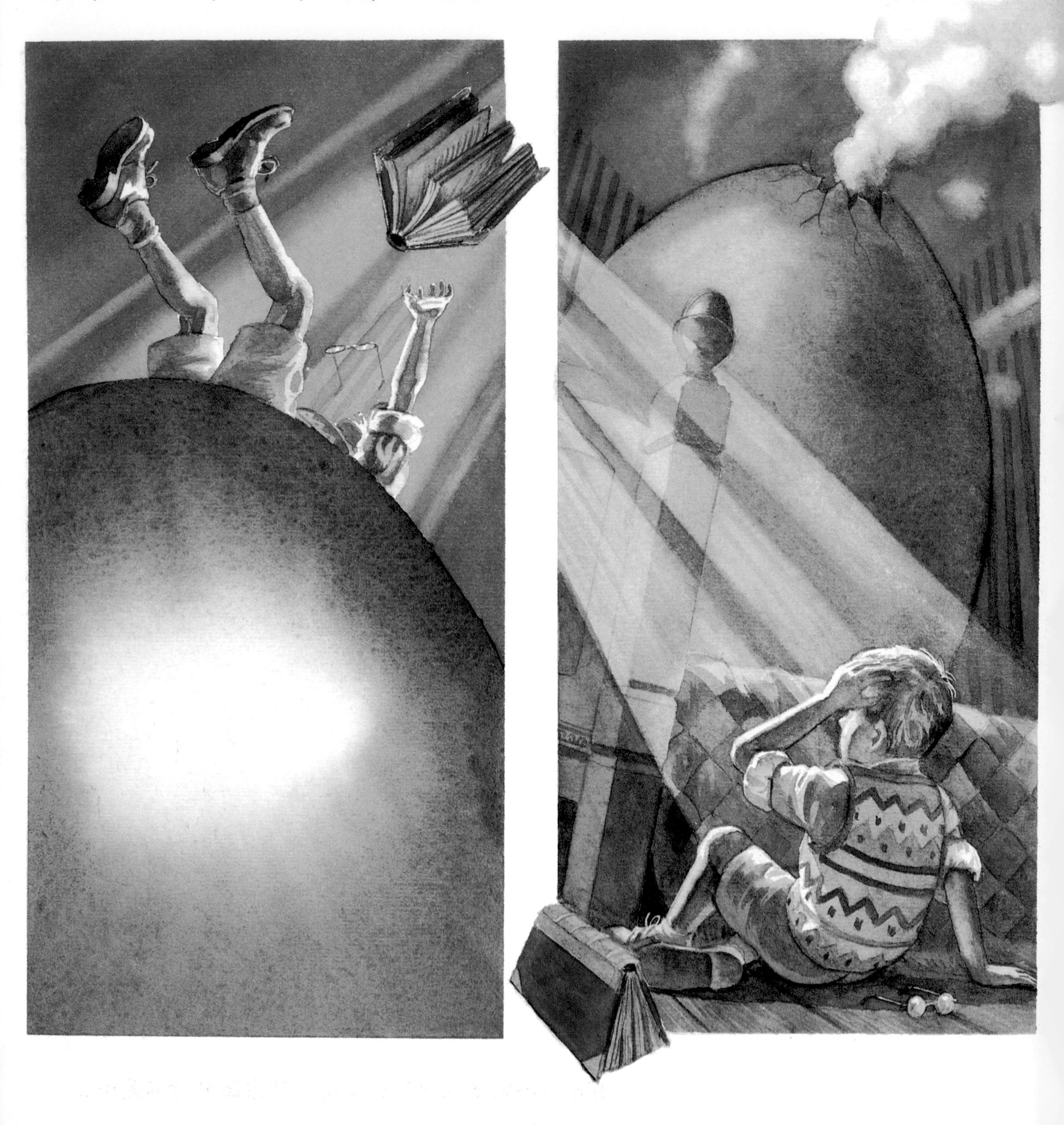

有什么要孵出来啦？他知道，那东西绝对不是小鸡！

小飞龙第一眼看到乔治，就特别亲热，他开心地叫：“啾——啾！”

乔治不会说飞龙国的话，不过他心里明白小飞龙的意思：

“妈——妈！”

乔治从来没当过妈妈。可是他打定主意，该拿出做妈妈的样子来，全心全意带小飞龙学习飞龙该会的本事。

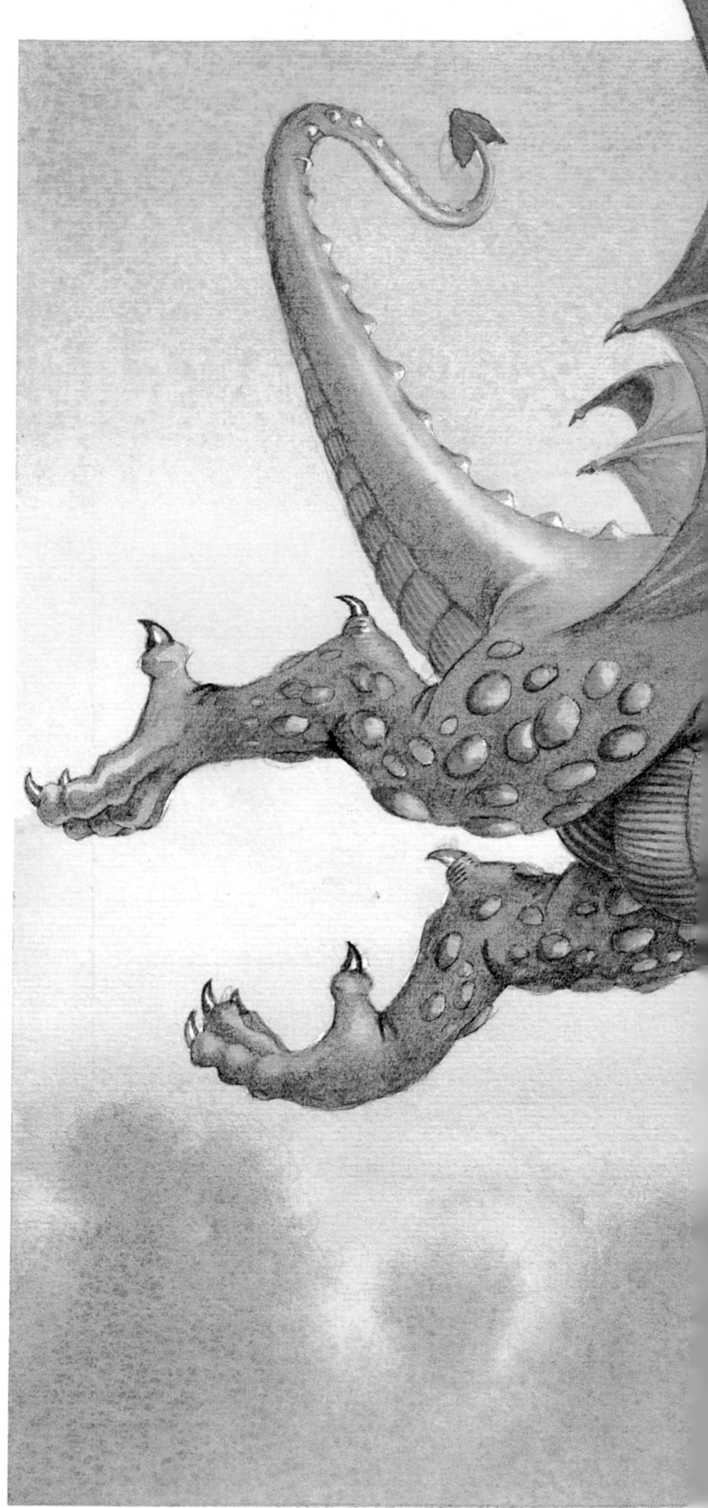

他给小飞龙上的第一课，叫“飞翔的艺术”。

第二课叫“火球原理与喷火技巧”。

第三课叫“如何欺负小姑娘”。

最后一课叫“战胜骑士的法宝”。

每天晚上，乔治都像世界上所有的好妈妈那样，给小飞龙讲故事听。

有一天，他给小飞龙讲的是《飞龙故事集》。小飞龙默默地盯着书上的画，眼睛里流露出思念的神情。一颗滚烫的泪珠顺着他脸蛋上的鳞甲流下来。

小飞龙太孤单了，他是想念他的同类了呀。

第二天一早，小飞龙没等乔治醒来就离开了。乔治非常难过，他以为这辈子怕是再也见不到好朋友小飞龙了。

转眼间七天过去了。正在睡梦里的乔治被扑棱扑棱的翅膀声吵醒了。他兴冲冲地拉开窗帘一看——就在那儿，稳稳当当落在树杈间的，不正是小飞龙吗？乔治推开窗户，小心翼翼地爬上小飞龙的脖子。

小飞龙带着乔治冲上夜空。他们追着月亮男孩，飞过高山海洋，飞过城市乡村，绕着世界飞了整一圈儿。

快呀快呀，他们越飞越远，一直飞到那个从来没有人到过的地方！

他们倏地从云端落了下来。眼前是一个山洞，洞口像张开的龙嘴。这里就是飞龙的家园。

小飞龙好高兴呀，他叫起来："咿——喔！"他总算回到老家啦。

后来，还是到了乔治该回家的时候。小飞龙驮着乔治飞起来，一直向上飞，向上飞。他们把瞌睡姑娘甩在身后，直到天色见亮，终于看见乔治家的屋顶。

乔治紧紧地搂着小飞龙的脖子不肯松开。小飞龙在他耳边呢喃："唔——唔！"乔治不会说飞龙国的话，不过他心里明白小飞龙的意思：

"谢——谢！"

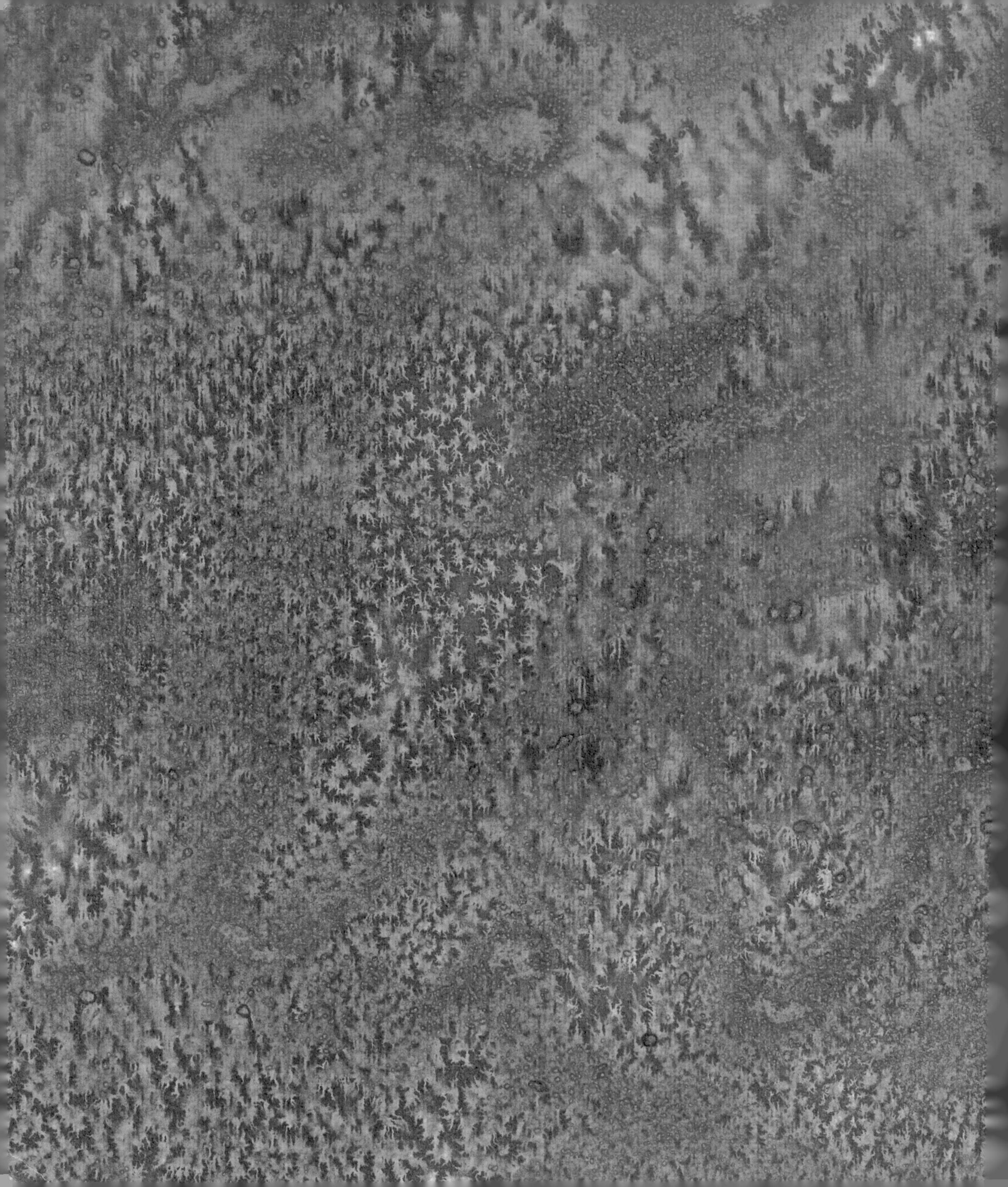

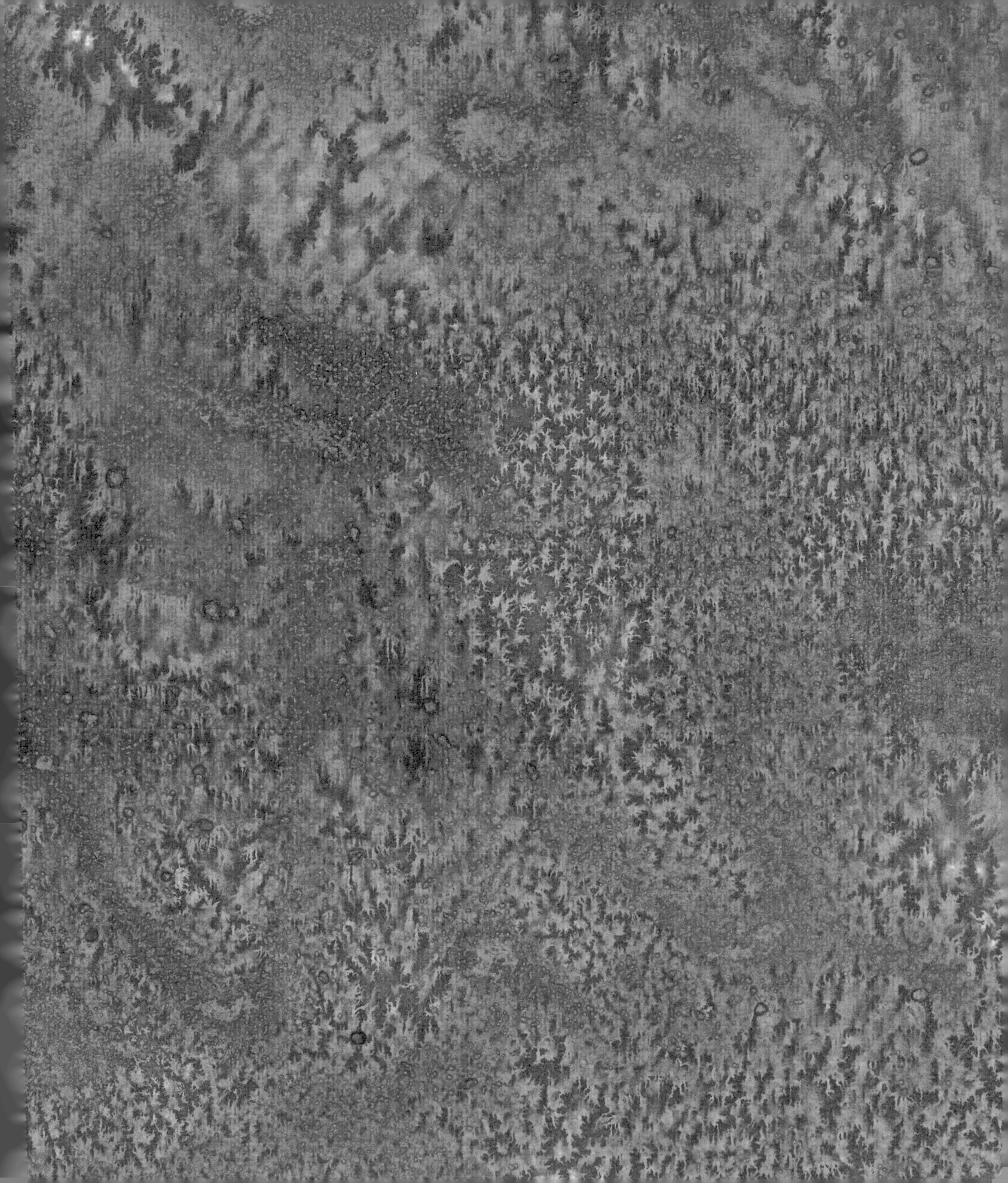